Les Cultures du Canada

Les arts et l'artisanat

Heather C. Hudak
rédactrice

Weigl

Published by Weigl Educational Publishers Limited
6325 10ᵉ rue SE
Calgary, Alberta
T2H 2Z9

www.weigl.com
Copyright © 2010 WEIGL EDUCATIONAL PUBLISHERS LIMITED

Catalogage avant publication de Bibliothèque et Archives Canada

Hudak, Heather C., 1975-
     Les arts et l'artisanat / Heather C. Hudak.

(La célébration des cultures du Canada)
Traduction de: Arts and crafts.
Comprend un index.
Public cible : Pour les jeunes.
ISBN 978-1-55388-595-5

     1. Artisanat--Canada--Ouvrages pour la jeunesse. 2. Arts
décoratifs--Canada--Ouvrages pour la jeunesse.
I. Titre. II. Collection : Hudak, Heather C., 1975- . La célébration
des cultures du Canada

TT26.H8314 2009   j745.50971   C2009-904481-1

Imprimé aux États-Unis d'Amérique
1 2 3 4 5 6 7 8 9 0 13 12 11 10 09

Rédactrice : Heather C. Hudak
Design : Terry Paulhus

Nous apprécions le soutien financier du gouvernement du Canada à travers le Programme d'aide au développement de l'industrie de l'édition (PADIÉ) pour nos activités d'édition.

TABLE DES MATIÈRES

Les œufs de Pâques ukrainiens

Les pysanky sont des œufs de Pâques ukrainiens. Ces œufs sont peints avec de la cire d'abeille et du colorant.

Les Ukrainiens utilisent un *kistka* pour créer des motifs de cire sur un œuf. Ensuite, l'œuf est trempé dans du colorant. Le colorant reste imprégné sur la partie de l'œuf qui n'est pas couverte de cire.

APPRENEZ-EN PLUS

Pour en apprendre plus sur les *pysanky* et voir des images, visitez http://www.pysankyshowcase.com.

Les poupées creuses en bois sont populaires en Ukraine. Quels autres jouets peuvent être fabriqués en bois ?

Rushnyky brodé

Gerdan

Les poupées matryoshkas

Un vase

Les Kirigamis chinois

Les *Kirigamis* sont des petites maquettes de papiers découpés. Pour fabriquer des kirigamis chinois, on utilise de petits ciseaux et un couteau.

On les utilise de plusieurs façons. Les chinois donnent ces kirigamis comme cadeaux. Ils les utilisent aussi comme décorations ou encore comme motifs pour les vêtements. On doit parfois plier, couper et coller plusieurs épaisseurs de papiers pour les fabriquer.

APPRENEZ-EN PLUS
Pour en apprendre plus sur l'histoire des coupures de papier, visitez
www.chinavoc.com/arts/folk/papercut.htm.

Les lanternes de papier font partie de plusieurs festivals chinois. Quel type d'œuvre d'art fabriquez-vous lors d'événements spéciaux ?

Fengzheng

Meiping

Des fleurs de soie chinoises

Des lanternes

Les dessins sikhs au henné

Les Sikhs dessinent des images détaillées sur les mains et les pieds. Cet art s'appelle *mehndi*. Les Sikhs utilisent la plante henné broyée pour dessiner ces images. Ils pratiquent le mehndi depuis plusieurs milliers d'années. Cet art fait souvent partie des cérémonies.

Les mariées sikhes se font dessiner des mendhis sur les mains et les pieds la nuit qui précède leur mariage. Cela symbolise l'amour du couple.

APPRENEZ-EN PLUS
Pour apprendre comment on fait et utilise mehndi, visitez www.puja.com/mehndi.

Les Sikhs brodent souvent des fleurs sur leurs vêtements et sur d'autres articles. Quelles autres cultures décorent les vêtements avec la broderie ?

Choora

Phulkari

Durries

Des motifs au henné

Les écharpes métisses

Les Métis font des écharpes avec de la laine, tissée avec les doigts. Les couleurs d'une écharpe sont les rouge, noir, vert, bleu et blanc. Les différents motifs de couleurs indiquent de quelle famille les Métis proviennent.

Autrefois, les voyageurs faisaient la traite de fourrures. Ils transportaient des gens et des biens à différents postes de traite. Les voyageurs portaient souvent une écharpe. Ils l'attachaient autour de leur taille afin de garder leur manteau fermé. On utilisait aussi l'écharpe comme serviette, porte-clés et trousse de couture.

APPRENEZ-EN PLUS

Pour en apprendre plus sur l'histoire des écharpes métisses, visitez www.mno.ca/culture/culture_links/sash.html.

Les Métis utilisent du cuir pour faire de l'artisanat et des vêtements. Possédez-vous des articles faits de cuir ?

Un manteau

Des gants perlés

Des mocassins

Des vêtements brodés

Les toupies juives

Dreidel est une toupie à quatre côtés. Des lettres en hébreu sont écrites sur chacun des côtés. Ces lettres représentent la phrase suivante : « Un miracle merveilleux s'est produit ici. »

Le miracle s'est produit lorsqu'on a rendu la liberté aux Juifs il y a 100 ans. On célèbre ce miracle lors de la fête juive Hanoukka.

APPRENEZ-EN PLUS

Pour en apprendre plus sur les dreidels et la façon de les faire, visitez

www.holidays.net/chanukah/dreidel.html.

On utilise plusieurs œuvres d'arts et d'artisanat lors des prières. Quels autres objets utilise-t-on pour prier dans d'autres cultures ?

Des assiettes

Une guimpe

Shophar

Bimah

La menuiserie huttérite

Certains hommes et garçons huttérites font des objets avec du bois.

Les garçons travaillent à tour de rôle dans l'atelier de menuiserie.

APPRENEZ-EN PLUS

Pour en apprendre plus sur les projets de menuiserie, visitez http://biglearning.com/treasurewood working.htm.

14

Les garçons huttérites apprennent les techniques de la menuiserie. Quelles techniques avez-vous développées avec vos amis et vos familles ?

Des camions jouets

Des maisons jouets

Une boîte d'outils

Des motifs de fleurs et de cœurs en bois

La broderie allemande

Les femmes allemandes brodent. La broderie est l'art de coudre des motifs de points à la main sur du tissu. Les cœurs et les tulipes sont parmi les dessins les plus populaires.

Les serviettes brodées à la main sont placées sur d'autres serviettes ou sur les portes dans les maisons allemandes. Autrefois, cela indiquait une maison en ordre.

APPRENEZ-EN PLUS
Pour apprendre comment broder, visitez www.needlenthread.com/2006/07/teaching-embroidery-to-kids.html.

Lebkuchen est une friandise allemande semblable au pain d'épices. Avez-vous déjà vu des maisons en pain d'épices dans votre communauté ?

Schultüten

Une maison Lebkuchen

Les motifs de broderie

Une étampe en pomme de terre

Le temps des sucres québécois

Au temps des sucres, les Québécois entaillent les érables et recueillent la sève. Ils percent un trou dans l'écorce de l'arbre. Ensuite, ils insèrent un chalumeau dans le trou.

Un seau est accroché au chalumeau afin d'en recueillir la sève. La sève est bouillie pour en faire du sucre d'érable. L'endroit où l'on bout la sève s'appelle la *cabane à sucre*.

APPRENEZ-EN PLUS
Pour en apprendre plus sur l'érable et le sirop, visitez www.canadianmaplesyrup.com/maplehistory.html.

Gutta Serti est une façon spéciale de peindre la soie.
Quels outils utilisez-vous pour peindre des images ?

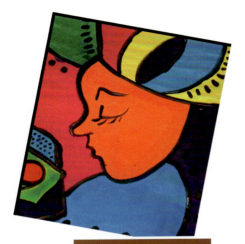

Gutta Serti

Des fleurs perlés

Un cor français

Un motif à petit point

Le tricot écossais

Les Écossais tricotent des chandails, des bas et des chaussettes.

Fair-Isle est un type de tricot qui utilise plusieurs couleurs pour former des motifs. Fair-Isle tire son nom d'une petite île au nord de l'Écosse.

APPRENEZ-EN PLUS
Pour apprendre à tricoter, visitez
http://hubpages.com/hub/Knitting-For-Kids.

Les Écossais font de la musique en soufflant dans des cornemuses. Quels autres instruments ont besoin d'air pour produit des sons ?

Un kilt

Une poupée

Sporran

Une cornemuse

La vannerie philippine

Les Philippins tressant des lanières de bambou pour faire des paniers. Les paniers sont reconnus pour leur résistance et leur beauté.

Certains tresseurs talentueux peuvent faire des paniers en quelques minutes.

APPRENEZ-EN PLUS
Pour apprendre à tresser un panier, visitez www.basketweaving101.net.